ESPORTES

Ciranda Cultural

ESPORTES

1. O que é, o que é? O animal que gosta de jogar futebol?
2. O que o piloto de Fórmula 1 foi fazer no campo de futebol?
3. **Por que um pirata não pode ser jogador de futebol?**
4. Por que os delegados seriam bons na defensiva em futebol?
5. O que é que o jogador de basquete pode fazer o tempo todo, mas o de futebol não pode?
6. O que é, o que é? Quando um jogador de vôlei se parece com um peixinho?
7. O que é, o que é? Quando um jogador de futebol é literato?

RESPOSTAS: 1. Gol-finho. 2. Dar cartinho. 3. Porque ele é perna de pau. 4. Porque desarmam todo mundo. 5. Colocar a mão na bola. 6. Quando sobe para a rede. 7. Quando faz um gol de letra.

ESPORTES

8. Quem é que trabalha no banco?

9. O que é, o que é? Só vive levando pontapé?

10. O que é, o que é? O que o nadador faz quando está descansando?

11. Por que não se pode nadar com o estômago vazio?

12. O que é, o que é? O esporte em que, mesmo caindo sempre, pode-se ser vitorioso?

13. Como é que o Batman joga futebol?

14. Como um jogador de futebol se recupera do prejuízo?

RESPOSTAS: 8. O jogador reserva. 9. A bola de futebol. 10. Nada. 11. Porque é muito mais prático nadar com as mãos e com os pés. 12. Paraquedismo. 13. Ele bat-pênalti, bat-falta, bat-escanteio e bat para o gol. 14. Correndo atrás da bola.

ESPORTES

15. Quando é que um goleiro almoça?

16. O que é, o que é? O esporte preferido dos cantores?

17. Como se chama um pinguim com uma raquete pequena na mão?

18. Por que é que a equipe de tiro levou um sapo para as Olimpíadas?

19. Quando é que se corre tão depressa quanto um carro de corrida?

20. O que é, o que é? O time de futebol que tem um filho?

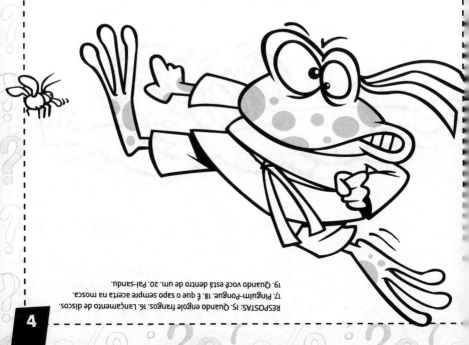

RESPOSTAS: 15. Quando engole frangos. 16. Lançamento de discos. 17. Pinguim-Pongue. 18. É que o sapo sempre acerta na mosca. 19. Quando você está dentro de um. 20. Pai-sandu.

ESPORTES

21. **O que a bola de boliche foi fazer na academia?**

22. O que é, o que é? A maior alegria da bola?

23. O que é, o que é? A brincadeira preferida dos tímidos?

24. Por que é que os elefantes não lutam boxe?

25. O que é, o que é? O carro que está sempre em forma?

26. O que é, o que é? Tem no carro e no futebol?

27. Por que o jogador não conseguiu fazer uma ligação no campo de futebol?

RESPOSTAS: 21. Ver o su-pino. 22. É quando a elogiam. Ela fica toda cheia. 23. Esconde-Esconde 24. Porque têm medo de levar na tromba. 25. O carro esporte. 26. Volante. 27. Porque ele estava fora de área.

ESPORTES

28. O que é, o que é? A carta de baralho que era a favorita do Pelé?

29. O que é que um nadador faz para bater um recorde?

30. O que acontece quando o acrobata fecha os olhos?

31. O que é, o que é? O esporte que o esquimó mais gosta?

32. Quando é que um jogador é diplomata?

33. Por que o surfista não gosta da cozinha?

34. Quando é que um automóvel corre na mesma velocidade de um trem?

RESPOSTAS: 28. Rei de copas. 29. Nada. 30. Não enxerga nada. 31. Polo. 32. Quando faz "embaixadas". 33. Porque lá só tem microondas. 34. Quando ele está sobre o trem.

ESPORTES

35. O que é, o que é? O esporte que os matemáticos mais gostam?

36. Numa luta entre fita isolante e a fita crepe, quem ganha?

37. Quando é que as crianças fingem ser parte de um carro?

38. O que é que na sua casa sempre fica no mesmo lugar, mas, no mundo, muda de lugar de quatro em quatro anos?

39. O que é, o que é? A parte da casa de que o atleta mais gosta?

40. O que é, o que é? O faxineiro do futebol?

RESPOSTAS: 35. Fórmula 1. 36. A fita isolante, porque ela é faixa-preta. 37. Quando brincam de roda. 38. A copa. 39. O corredor. 40. O zagueiro: ele limpa a área.

ESPORTES

41. O que é, o que é? O melhor castigo para um time de futebol que joga sujo?

42. O que é, o que é? O esporte que não é doce?

43. **Quando é que o jogador de futebol é guarda de trânsito?**

44. O que é, o que é? Inseto que luta MMA?

45. O que é que tem mais pés no inverno do que no verão?

46. O que é, o que é? O resultado de um jogo de futebol entre patos?

47. O que é, o que é? Um pontinho amarelo na piscina?

RESPOSTAS: 41. Perder de lavada. 42. Fut-sal. 43. Quando faz um gol de placa. 44. Muri-soca (muriçoca). 45. Um lago de patinação. 46. Empatado. 47. César Cyellow.

ESPORTES

48. O que o atleta boboca perguntou quando o convidaram para participar de uma corrida de fundo?

49. O que é, o que é? Maior obstáculo para um corredor ser recordista mundial de corrida de obstáculos?

50. Quando é que o time não faz gol e ganha a partida?

51. Quando é que um homem se parece com um automóvel de Fórmula 1?

52. O que é, o que é? A coisa mais dura para quem está aprendendo a andar de bicicleta?

53. **O que é, o que é? Trabalha brigando?**

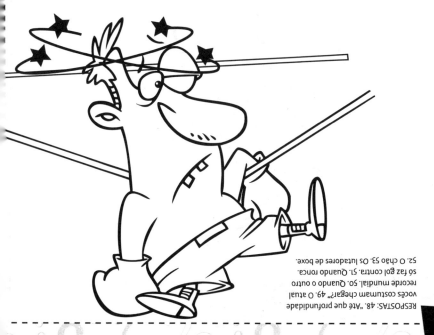

RESPOSTAS: 48. "Até que profundidade vocês costumam chegar?" 49. O atual recorde mundial. 50. Quando o outro só faz gol contra. 51. Quando ronca. 52. O chão 53. Os lutadores de boxe.

ESPORTES

54. O que é, o que é? Na televisão, cobre um país; no futebol, atrai a bola; em casa, incentiva o lazer.

55. Qual é o jogador que joga calçado, mesmo quando está descalço?

56. O que é, o que é? O remédio que gosta de surfar?

57. O que é, o que é? O esporte que mais vira a nossa cabeça?

58. O que é, o que é? O melhor jogo para os desesperados?

59. O que é, o que é? É mais duro quando a gente aprende a patinar?

60. Quando é que o jogador de futebol pratica, pelo menos, dois esportes?

RESPOSTAS: 54. Rede. 55. O jogador de tênis. 56. Dipirona (dipi-onda) 57. O tênis. A bola não pára de lado nenhum. 58. A paciência. 59. O chão. 60. Quando faz gol de bicicleta.

ESPORTES

61. O que é, o que é? Vive de mão em mão, levando tapas, e ainda faz disso esporte?

62. Qual a melhor maneira de ganhar uma corrida?

63. O que é, o que é? Tem numa competição esportiva mundial, e o recepcionista do hotel cede aos hóspedes?

64. Qual a semelhança entre o lutador de boxe e o telescópio?

65. Quantos lados tem a bola de futebol?

66. Qual o melhor dia para jogar basquete?

RESPOSTAS: 61. A peteca. 62. É correr mais do que os outros. 63. Chaves. 64. Os dois podem fazer uma pessoa ver estrelas. 65. Dois. O de dentro e o de fora. 66. Na sexta.

ESPORTES

67. Quem tirou São Bernardo do Campo?

68. Por que pessoas mais baixas não podem lutar boxe?

69. Por que os grandes jogadores de futebol não comem com as mãos?

70. O que é, o que é? Acontece toda semana aos brasileiros que gostam de futebol?

71. O que é, o que é? Pontinho verde na neve?

72. O que é, o que é? A realização suprema de um cozinheiro ligado ao futebol no Brasil?

73. Quem é que não cai da moda?

RESPOSTAS: 67. O juiz de fora. 68. Porque só dão golpes baixos. 69. Porque eles recebem luvas. 70. Perdem a esportiva. 71. Uma azeitona esquiando. 72. Ser convidado a servir na Copa. 73. O surfista. Ele está sempre na onda.

ESPORTES

74. Quem jamais será primeiro na modalidade que compete?

75. O que é, o que é? O que usamos no pé que o time de futebol usa na linha?

76. Por que o segurança ganha todas as corridas?

77. O que é, o que é? A primeira coisa que um atleta faz de manhã, quando sai ao sol?

78. Quem é que leva a bola para casa?

79. O que é, o que é? O jogo que também é tecido?

80. Por que os cometas não param?

RESPOSTAS: 74. O segundo. 75. Meia. 76. Porque segurança em primeiro lugar! 77. Faz sombra. 78. O corrupto. 79. O xadrez. 80. Porque não deixam de correr.

ESPORTES

81. Qual é o conselho cristão de que os pugilistas mais gostam?

82. O que é, o que é? Tem menos buracos quando está rasgada?

83. Quando o jogador de futebol trata o seu adversário como um neném?

84. O que é, o que é? Quem tem muita joga. Quem não tem nenhuma vive perdendo?

85. Como terminou a partida de futebol entre cavalos?

86. Como se pode voar sem sair do chão?

87. O que é um esqueleto no armário?

RESPOSTAS: 81. É melhor dar do que receber. 82. A rede. 83. Quando ele lhe dá um carrinho. 84. Paciência 85. "Em patada". 86. Nas asas da imaginação. 87. O campeão do torneio de esconde-esconde de 1900.

ESPORTES

88. O que é, o que é? Um ponto na quadra de vôlei?

89. Qual a montanha que tem mais curvas?

90. Por que o boboca comprou 30 bolas de vôlei para jogar apenas uma partida?

91. **O que é, o que é? Um zagueiro de futebol gosta de usar e o piloto do avião faz tudo para não deixar cair?**

92. O que é que por mais que seja cortado, continua do mesmo tamanho?

93. Quando a piada da bola é engraçada?

94. O que é que tem duas rodas e dá leite?

RESPOSTAS: 88. É quando a bola toca no chão da quadra adversária. 89. A montanha-russa. 90. Porque ele pensou que teria de usar uma nova a cada vez que no jogo houvesse uma cortada. 91. O bico. 92. O baralho. 93. Quando ela é bem bolada. 94. Uma vaca andando de bicicleta.

ESPORTES

95. O que é, o que é? O animal que pode aparecer de repente nos jogos de futebol?

96. Qual é o atleta que pode pular mais alto do que uma casa?

97. O que é, o que é? Meio de transporte que faz todos gritarem de espanto?

98. O que acontece quando um torcedor do flamengo vai ao Polo Sul?

99. O que é, o que é? Lugar ideal para um jogador de futebol passar as férias?

100. Por que a prancha de surfe é uma contradição?

RESPOSTAS: 95. A zebra. 96. Qualquer um. Uma casa não pode pular. 97. O carrinho da montanha-russa. 98. Ele fica sendo um Fla-gelado. 99. No campo. 100. Porque sendo para o pé, ela faz a cabeça do surfista.